Si-sa-yong-o-sa, Inc.
55-1, Chongno 2-ga, Chongno-gu
Seoul 110, Korea

Si-sa-yong-o-sa, Inc., New York Office
115 West 29th Street, 5th Floor
New York, NY 10001
Tel : (212) 736-5092

Si-sa-yong-o-sa, Inc., Los Angeles Office
3053 West Olympic Blvd., Suite 208
Los Angeles, California 90006
Tel : (213) 387-7105/7106

ISBN 0-87296-011-0

Printed in Korea

The Man Who Became an Ox

소가 된 젊은이

Adapted by Mark C. K. Setton
Illustrated by Lee Han-joong

Si-sa-yong-o-sa, Inc.
Seoul • New York • Los Angeles

Once there was a young man who hated work. Everyone else in his family was very busy in the house or out working in the fields, but this fellow would just sit around all day long doing nothing at all. He wouldn't even lift a little finger to do anything.

During the farming season all the men and women in the village would be out in the fields hard at work from early morning to dusk. Everyone, that is, except for the young man, who enjoyed sleeping at home or lying in a field chewing pieces of grass.

One day his wife, who was tired of seeing him idling his time away, lost her patience. "You should stop loafing around in the house and help out there in the fields," she said. "Everyone else in the village is working hard. Why don't you?"

　　옛날에 일하기를 몹시 싫어하는 한 젊은이가 있었읍니다. 온 가족이 집에서나 들에
서나 아주 바쁘게 일을 하고 있어도 이 젊은이는 온종일 아무 일도 하지 않고 빈둥거
리며 놀고 있었읍니다. 그 젊은이는 손가락 하나 까딱하지 않았읍니다.

　　농사철이 되면 마을의 남자와 여자들은 모두 이른 아침부터 날이 저물 때까지 밭에
나가 열심히 일을 했읍니다. 집에서 잠이나 자고 들에 누워 풀이나 씹는 것을 좋아하는
그 젊은이만 빼고는 모두가 부지런히 일했읍니다.

　　어느 날 그의 아내는, 그가 계속 빈둥거리며 게으름 피는 것을 보다 못해 참을 수가
없게 되었읍니다. "여보, 그렇게 집안에서 빈둥빈둥 놀지만 말고 밭에 나가 일 좀 도
와 줘요. 마을 사람들은 모두 열심히 일을 하고 있어요. 당신은 왜 일을 하지 않는 거
예요?" 아내가 말했읍니다.

Lazybones (which was his nickname) screwed up his face and replied, "Don't start that again. If I can't take it easy when I want to take it easy, when can I enjoy myself?" Then he just rolled over and looked the other way.

"How can you sit around doing nothing all day?" answered his wife. "Even the other villagers who work day in and day out can hardly make a living, so how can we survive if you just lounge around at home?" Then she burst into tears.

"Don't go on like that, for goodness' sake;" said Lazybones, "can't you see I'm trying to get some rest?"

"What do you mean, 'don't go on like that'," sobbed his wife. "I'm only asking you to go out and work like everybody else does. If you can't even do that, you might as well be a vegetable!"

게으름뱅이(그의 별명이었읍니다)는 얼굴을 찡그리며 대답했읍니다. "에그, 또 잔소리. 놀고 싶을 때 안 놀면 언제 놀아?" 그리고는 휙 돌아누우면서 외면을 했읍니다.

"당신은 어떻게 하루 종일 아무 일도 않고 그렇게 앉아서 놀기만 하죠?" 그의 아내가 물었읍니다. "마을 사람들은 밤낮으로 일을 해도 어렵게 살아가는데 당신은 그렇게 빈둥빈둥 놀기만 하니 우린 어떻게 살아요?" 그리고는 울음을 터뜨렸읍니다.

"제발 그만 두지 못해?" 게으름뱅이가 말했읍니다. "좀 쉬려고 하는 건데 그걸 모르겠어?"

"아니 그만 두라니 그게 무슨 말이에요?" 아내가 흐느꼈읍니다. "남들처럼 나가서 일 좀 하라고 그랬을 뿐이잖아요. 그것도 못하겠다면 식물하고 뭐가 달라요!"

The young man was very upset to be called such names. He began to think about running away from home, far away from his nagging wife and the other villagers who made fun of him. But he wondered how he could make a living all by himself.

Suddenly he had an idea. In the chest of drawers there were two rolls of hemp cloth which his wife had taken great pains to make. Because Lazybones didn't work, his family had become very poor, and these two rolls of cloth were their most precious belonging. "If I sell those, I can make enough money to take it easy for months," he thought.

As soon as his wife had left the room, Lazybones took the two rolls under his arm and sneaked out the back door. He climbed over the hill behind the house and stopped to catch his breath.

젊은이는 그 말을 듣고는 몹시 화가 났읍니다. 그는 집에서 잔소리하는 아내와 그를 놀려대는 마을 사람들로부터 멀리 도망갈 생각을 했읍니다. 그렇지만 어떻게 혼자서 살아갈 수 있을지 문득 걱정이 되었읍니다.

갑자기 생각이 하나 떠올랐읍니다. 장롱 속에는 아내가 애써서 짜놓은 삼베 두 필이 있었읍니다. 게으름뱅이가 일을 하지 않아서 그 집안은 아주 가난해졌으므로 그 베 두 필은 그들에게 제일 값진 물건이었읍니다. 젊은이는 생각했읍니다. "그것들을 판다면 몇 달동안 편안하게 지낼 수 있는 돈이 생길거야."

아내가 방에서 나가자, 게으름뱅이는 베 두 필을 겨드랑이에 끼고 뒷문으로 살며시 빠져나갔읍니다. 그는 집 뒷쪽에 있는 언덕으로 올라가서 숨을 몰아쉬면서 섰읍니다.

On the other side, half way down the hill, he could see a small thatched cottage. "That's funny," he said to himself, "I'm sure that cottage wasn't there before. Anyway, perhaps I can get something to drink there before I go on my way."

As he approached the cottage he saw there was an old man sitting on the porch making something. Lazybones couldn't figure out what the old man had in his hands, as it had a very strange shape. It seemed to be covered with hair. He became so curious that he forgot all about asking for a drink.

"Excuse me," he asked, stooping over the old man, "What on earth is that you're making?" The old man looked up at Lazybones. His eyes were twinkling with amusement. Lazybones felt sure he

반대쪽 언덕 아래 중간 쯤에 조그마한 초가집 하나가 보였읍니다. "그것 참 이상하다," 젊은이가 중얼거렸읍니다. "저 초가집이 전에는 분명히 없었는데. 어쨌든 길을 떠나기 전에 뭔가 좀 마시고 갈 수 있을지도 모르겠군."

그 초가집으로 다가가 보니 한 노인이 마루에 앉아서 무엇을 만들고 있는 것이 보였읍니다. 게으름뱅이는 노인이 손에 들고 있는 것이 아주 이상한 모양이어서 무엇인지 알 수가 없었읍니다. 그것은 털로 덮여 있었읍니다. 그것이 너무 신기해서 그는 마실 물을 달라고 하는 것도 잊어 버렸읍니다.

"실례합니다," 젊은이가 노인에게 허리를 굽히면서 물었읍니다. "지금 만들고 있는 게 도대체 뭐요?" 노인은 게으름뱅이를 쳐다보았읍니다. 그의 눈이 재미있다는 듯이 반짝였읍니다. 게으름뱅이는 그 노인을 전에 어디선가 본 것 같다고 생각했지만 어디였는지 전연 기억할 수가 없었읍니다.

had seen him somewhere before, but he couldn't quite remember where.

"Why do you ask?" questioned the old man.

"That thing you're making looks so strange that I...er...well, I couldn't help asking," answered Lazybones. "What will you use it for?"

"Do you really want to know? I'll tell you if you're so curious," the old man answered. In the blink of an eye he picked up the strange object and held it in front of his young visitor. "Take a close look. This is an ox's head." And so it was. It was a mask in the shape of an ox's head, but it was so well made it looked just like the real thing.

"왜 묻는거요?" 노인이 물었읍니다.

"노인장이 만들고 있는 것이 하도 이상해서… 에… 그래서 물어보고 싶어졌소," 게으름뱅이가 대답했읍니다. "그걸 어디에 쓰려고요?"

"정말로 알고 싶소? 당신이 그렇게 알고 싶다면 가르쳐주리다," 노인이 대답했읍니다. 눈깜빡할 사이에 노인은 그 이상한 물건을 집어들어서는 그 젊은 나그네 앞에 불쑥 내밀었읍니다. "자세히 보구려. 이건 황소머리라오." 정말로 그것은 소머리였읍니다. 황소 머리 모양의 가면이었읍니다. 그러나 너무 잘 만들어서 진짜 소머리 같았읍니다.

"An ox's head?" asked the young man. He was even more puzzled than before. "What are you making such a useless thing for?"

The old man smiled, which made his wrinkled face seem even more wrinkled. "If it were useless, I wouldn't have made it," he answered, patting the ox's head mask. "You wait and see."

"Silly old man," said Lazybones impatiently. "Don't you have anything better to do?"

He was about to turn around and walk away, but the old man said, "This isn't an ordinary mask. If anyone who hates work puts on this mask, all his problems will be solved."

Lazybones suddenly became curious again. "Just what I need," he thought. But he was still a little suspicious. "How do I know you're not pulling my leg?" he asked.

"황소 머리라고요?" 젊은이가 물었습니다. 그는 조금 전보다 더욱 어리둥절해졌습니다. "그런 쓸데없는 것을 뭐하러 만들고 있지요?"

노인은 빙그레 웃었으며 그 웃음이 그의 주름진 얼굴을 더욱 주름지게 했습니다. "만약 그게 소용없는 것이라면 내가 그걸 만들지 않았을 것이오." 노인이 황소 머리 가면을 어루만지면서 대답했습니다. "두고 보시오."

"어리석은 노인 양반 같으니라구." 게으름뱅이가 참지 못해 말했습니다. "그렇게도 할 일이 없어요?"

젊은이가 뒤돌아서서 가려고 하는데, 노인이 말했습니다. "이건 보통 가면이 아니라오. 만약 일하기 싫어하는 사람이 이 가면을 쓰면 모든 문제가 해결될 것이오."

게으름뱅이는 문득 다시 한번 호기심이 생겼습니다. "바로 내게 필요한 것이구나," 하고 젊은이는 생각했습니다. 그러나 아직도 그는 조금 의심스러웠습니다. "나를 놀리는 건 아니요?" 젊은이가 물었습니다.

"You know how the saying goes," replied the old man, "better to try something once than hear about it a hundred times. If you don't believe me, try it on for yourself." The old fellow gave the ox mask to Lazybones, who by this time had become very curious indeed.

"If this is an easy way to solve my problems," thought Lazybones, "why not?" So he placed the ox mask firmly on his head. As soon as he had done this, the old man took the ox hide that he had been sitting on and spread it on Lazybones' back.

Strangely enough, once the young man had put on the mask it wouldn't come off again. And that wasn't all. The ox hide on his back and legs wrapped itself tightly around his body, just like the skin of a real ox.

Lazybones began to feel sorry that he had met the old man. He wriggled this way and that, but still the ox hide wouldn't come off. On the contrary, it became even tighter, until the young man looked just like a real ox. "What's going on?" he squealed. "Please take this horrible thing off me!" But it was already too late.

The old man stood up, and brushing off the dust from his long white robes, picked up a rope which he tied around Lazybones' neck.

"Please let me go," cried Lazybones. "Help, help!" But the only sound that came from his mouth was "Moo, moo."

"Now that you've become an ox, you have to follow me," the old man said, leading him out of the cottage yard.

Lazybones had no idea where they were going. He wanted to run away, but the old man was pulling very tightly and he was forced to follow on all fours, just like a real ox. Every time he struggled, the old man would strike him with a stick. "Woah, there, if you behave I won't hit you with my stick."

After a very long journey they arrived at a small town. The old man took Lazybones to the market. The whole market place was filled with traders and farmers buying and selling cattle and bargaining in loud voices.

Lazybones had to stand in the stalls with all the other oxes, waiting to be sold. He had become a fine-looking ox, and soon he was surrounded by people admiring him and prodding him with sticks.

"속담에 무어라고 했는지 알지 않소." 노인이 대답했습니다. "백 번 듣는 것보다 한 번 해보는 게 낫다고. 만약 나를 못믿겠으면 직접 한 번 써보시구려."노인은 황소 가면을 게으름뱅이에게 내밀었습니다. 이쯤 되자 그는 정말로 부쩍 호기심이 생겼습니다.

"만약 이것이 내 문제를 해결해 주는 손쉬운 방법이라면,"하고 게으름뱅이는 생각했습니다. "못 써볼 거야 없지?"그러면서 젊은이는 황소 가면을 그의 머리에 단단히 뒤집어 썼습니다. 젊은이가 가면을 쓰자마자, 노인은 자기가 깔고 앉았던 쇠가죽을 게으름뱅이의 등에 걸쳐 주었습니다.

이상하게도 젊은이가 한 번 쓴 가면과 쇠가죽은 다시 벗겨지지가 않았습니다. 그뿐만이 아니었습니다. 그의 등과 다리에 걸쳐진 쇠가죽은 정말 산 소의 가죽처럼 그의 몸에 단단히 들러붙었습니다.

게으름뱅이는 노인을 만난 것을 후회하기 시작했습니다. 그는 이리저리 몸을 비틀었지만 쇠가죽은 벗겨지지가 않았습니다. 벗겨지기는커녕 젊은이가 진짜 소같이 보일 만큼 더욱 단단히 죄어들었습니다. "어떻게 된 거지?"그는 비명을 질렀습니다. "제발 이 무시무시한 것 좀 벗겨 줘요."그러나 이미 때는 너무 늦었습니다.

노인은 자리에서 일어나 흰 두루마기의 먼지를 털면서 밧줄을 집어 들고는 게으름뱅이의 목에다 매었습니다.

"제발 나 좀 풀어줘요," 게으름뱅이가 울부짖었습니다. "사람 살려요, 사람 살려요!"그러나 그의 입에서 나오는 소리는 '움메, 움메'하는 소리뿐이었습니다.

"이제 넌 황소가 되었어, 넌 나를 따라와야만 해." 노인은 이렇게 말하면서 초가집 마당 밖으로 그를 끌고 나갔습니다.

게으름뱅이는 어디로 가는지도 몰랐습니다. 그는 도망가고 싶었지만 노인은 아주 단단히 그를 끌고 갔으며, 정말 소처럼 네 발 걸음으로 이끌려 갔습니다. 그가 몸부림를 칠 때마다 노인은 채찍으로 때렸습니다. "워, 워, 자, 네가 말을 잘 들으면 채찍으로 때리지는 않으마."

먼 길을 걸어서 그들은 한 조그만 읍내에 도착했습니다. 노인은 게으름뱅이를 장으로 끌고 갔습니다. 장에는 가축을 사고 팔면서 큰 소리로 흥정하는 장사꾼과 농부들로 꽉 찼습니다.

게으름뱅이도 다른 황소들과 함께 마구간에 서서 팔리기만을 기다리고 있어야 했습니다. 그는 아주 좋은 황소처럼 보였고, 곧 그를 칭찬하면서 채찍으로 쿡쿡 찌르는 사람들로 둘러 싸였습니다.

In no time at all the old man had found a farmer who wanted to buy him. As soon as the farmer had bought the ox, the old man said to him, "If this ox eats radish he will die, so don't let him stray near a radish field."

"If he eats radish he will die? That's the strangest ox I ever bought," said the farmer. But it was too late to change his mind, as he had already paid the old man. So driving his new ox before him, he left the market place, shaking his head.

From that day on, the young man who became an ox was given every kind of backbreaking work. He had to carry heavy loads to and fro. He had to drag a large plough up and down the fields from morning to night.

곧 그 노인은 황소를 사겠다는 농부를 만났습니다. 농부가 황소를 사자마자, 노인이 그에게 말했습니다. "만약 이 황소가 무우를 먹으면 죽을 것이오. 그러니 이놈을 무우밭 근처에서 헤매지 않도록 하시오."

"무우를 먹으면 죽는다고요? 이처럼 이상한 황소를 사보기는 처음이군요." 농부가 말했습니다. 그러나 이미 노인에게 돈을 주어버렸기 때문에 마음을 바꾸기에는 너무 늦었습니다. 그래서 새로 산 황소를 앞세우고 시장을 떠나면서 머리를 갸우뚱거렸습니다.

그날부터 황소가 된 젊은이에게 힘드는 일은 모두 맡겨졌습니다. 그는 무거운 짐을 이리저리로 옮겨야 했습니다. 아침부터 밤까지 커다란 쟁기를 끌며 밭을 갈아야 했습니다.

All day long the farmer would give him one task after another. He would become so exhausted that his legs almost gave way beneath him, but still the farmer would drive him on without a moment's rest. And if he would dare to cry out with a long, sad "moo" about all his troubles, the farmer would whip him with a cane.

"I'm not an ox, I'm a man! Please don't treat me like that!" he would moan. But the farmer couldn't understand what he was saying, of course, because everything he said just sounded like "moo, moo."

At the end of each day Lazybones had to sleep in a cold ox stall. As he lay on the hard ground every bone in his body seemed to ache.

하루 종일 농부는 그 소에게 이 일 저 일을 시켰읍니다. 그는 너무 지쳐서 거의 쓰러질 것 같았지만 농부는 여전히 잠시도 쉴 틈을 주지 않고 몰았읍니다. 그리고 만약 고통을 못 견뎌서 기다랗게 '움메'하고 구슬프게 울기라도 하면 농부는 회초리로 때렸읍니다.

"나는 황소가 아니란 말이오, 나는 사람이오! 제발 나를 그렇게 다루지 말아요!" 그는 끙끙대며 말했읍니다. 그러나 농부는 그가 무어라고 말하는지 알아들을 수가 없었읍니다. 그럴 수밖에 없는 것이 그가 말하는 것은 그저 '움메, 움메' 하는 소리로만 들렸으니까요.

하루 일이 끝나면 게으름뱅이는 차가운 외양간에서 잠을 자야만 했읍니다. 딱딱한 땅바닥에 누워 있으면 온 몸의 뼈가 쑤시고 아팠읍니다.

He was not only very tired, but also very hungry. In the daytime there was nothing to eat but grass, and at night all he had for dinner was a pile of smelly fodder. Soon after the first cock-crow the farmer would be back, dragging him out of his shed for another day of work.

Another day passed...two days...three days.... Deep in the night, as he lay in his ox stall, Lazybones would lie awake. Sorrow would fill his heart, and tears trickled down his bony cheeks as he thought about his hometown and his loving wife. He realized that she had really been very patient with him, even though she had a double share of work because of her lazy husband.

그는 몹시 고단할 뿐만 아니라 배도 무척 고팠읍니다. 낮에는 풀밭에 먹을 것이 없었고, 밤에 먹을 것이라곤 냄새나는 여물죽뿐이었읍니다. 첫새벽 닭이 울면 농부는 곧 들어와서 그날의 일을 위해 그를 외양간에서 끌어냈읍니다.

또 하루가 가고… 이틀이 가고… 사흘이 지났읍니다. 한밤중, 외양간에 누워서, 게으름뱅이는 뜬눈으로 새웠읍니다. 고향과 사랑스러운 아내를 생각할 때 그의 가슴은 슬픔으로 가득찼고, 앙상한 볼에서는 눈물이 흘러내렸읍니다. 게으른 남편 때문에 두 배나 일을 하면서도, 아내가 자기에게 정말로 잘 참고 견뎌 주었다는 것을 깨달았읍니다.

He began to feel regret about all the precious time he had wasted in the past. He remembered his wife's warnings that there would be trouble if he didn't change. "So that's why I became an ox," he thought. "Now I am forced to work hard all day, whether I like it or not."

Lazybones couldn't bear working for the farmer any longer. One night, when the moon was full, he decided to escape.

As soon as the farmer had gone to bed, Lazybones took his tether between his teeth and chewed and chewed until it broke in two. The door of the shed was old and rotten, and it was easy to break open. He dashed through the front yard and headed back towards his village as fast as his legs would carry him.

그는 지난 날 쓸데없이 보낸 모든 귀중한 시간들을 후회하기 시작했읍니다. 그의 아내가 만약 못된 버릇을 고치지 않으면 고생할 것이라고 타이르던 말이 기억났읍니다. "그래서 내가 황소가 된거야," 그는 생각했읍니다. "난 이제 좋든 싫든 간에 하루 종일 일만 해야 하는구나."

게으름뱅이는 농부를 위해 더이상 일을 해낼 수가 없었읍니다. 보름달이 뜬 어느 날 밤, 그는 도망가기로 마음을 먹었읍니다.

농부가 잠자리에 들자마자 게으름뱅이는 자기의 고삐를 이빨 사이에 물고 고삐가 두 동강이가 날 때까지 계속 씹었읍니다. 외양간의 문은 오래 되고 낡아서 쉽게 열렸읍니다. 그는 앞마당으로 뛰어 나가서 자기 마을을 향해 있는 힘을 다해 빨리 달렸읍니다.

He walked all night, and arrived at the village just as dawn was breaking. His wife was fetching water from the well and he rushed towards her. "It's me, your husband!" he tried to shout. "I've come back home!"

But instead of greeting him, she picked up her bucket and started striking him, again and again. "Shoo, shoo! Go away, you dirty ox!" she screamed. She had never been attacked by an ox before and was very surprised. Soon her neighbors had joined her and they started to drive the ox away with sticks.

"Even my wife and friends don't know who I am anymore!" sobbed Lazybones as he ran out of the village. When he had reached a safe distance, he was so exhausted and depressed that he fell to the ground in a heap.

　그는 밤새도록 걸어서 새벽녘에야 마을에 다다랐읍니다. 그는 샘에서 물을 긷고 있는 자기 아내에게로 달려갔읍니다. "나요, 당신 남편이오," 그는 고함을 지르려고 애썼읍니다. "내가 돌아왔소!"

　그러나 남편을 반가이 맞기는커녕, 아내는 오히려 물통을 들어서 계속 그를 때리기 시작했읍니다. "쉬이, 쉬이! 저리 가, 이 더러운 황소야!" 아내는 꽥 소리를 질렀읍니다. 아내는 이전에 황소가 덤벼드는 것을 당해본 적이 없어서 몹시 놀랐읍니다. 곧 이웃 사람들이 아내와 함께 합세하여 채찍으로 그 황소를 쫓아내기 시작했읍니다.

　"이젠 내 아내와 친구들도 나를 알아보지 못하는구나!" 마을 밖으로 도망가면서 게으름뱅이는 흐느꼈읍니다. 안전한 곳에 오자, 그는 지치고 낙심한 나머지 땅바닥에 털썩 주저앉고 말았읍니다.

Meanwhile the farmer, who had been searching for his ox all day, caught up with him. "Now I'll make sure you don't escape from me again," he said. Tying the tether tightly round the ox's neck, he led him all the way back to the farm.

The very next morning Lazybones was back in the fields dragging the heavy plow behind him. He had lost all hope of becoming a man and seeing his family and friends again. In fact, his heart weighed even heavier than the plow.

And so the days passed. Finally, the man who became an ox decided that he would rather die than live such a miserable life. But it wasn't easy to die either.

One day on his way to work he noticed a field of radishes growing by the side of the road. Then he remembered the old man's warning to the farmer at the market, "If this ox eats radish he will die."

"That's it! If I eat radish I can die!" He gritted his teeth and made up his mind to do it.

At the end of the day, as he was returning from work, Lazybones had his chance. While the farmer was looking the other way, he quickly ate two radishes growing by the side of the road.

Strangely enough, as soon as he had swallowed the radishes, his ox's head changed back into a mask, and the ox hide on his back fell to the ground. Instead of making him die, the radishes had turned him back into a man again. He pulled off his ox's mask, and stood up straight before the farmer.

The farmer was so surprised to see his ox turn into a man that he almost fell over backwards. Lazybones told him the whole story about meeting the old man and how he had tried on the mask and become an ox. Bidding farewell to the farmer he set off for home.

한편 온종일 황소를 찾아 헤매던 농부가 그를 붙잡았읍니다. "이젠 다시 도망갈 수 없도록 본때를 보여주겠다." 농부가 말했읍니다. 농부는 황소의 목에 고삐를 단단히 잡아매고는 농장으로 끌고 갔읍니다.

바로 그 다음날 아침에 게으름뱅이는 무거운 쟁기를 지고 밭을 갈러 갔읍니다. 그는 다시 사람이 되어 그의 가족과 친구들을 볼 수 있다는 모든 희망을 잃어버렸읍니다. 사실 그의 마음은 쟁기보다도 훨씬 무거웠읍니다.

그러면서 세월이 지났읍니다. 드디어 황소가 된 그 젊은이는 이렇게 비참하게 살아가느니보다는 차라리 죽어버리자고 마음먹었읍니다. 그러나 죽는 것도 쉬운 일은 아니었읍니다.

어느 날 일하러 가는 도중 길 옆에 무우밭이 있는 것을 알았읍니다. 그리고는 장에서 노인이 "이 황소는 무우를 먹으면 죽을 것이오,"라고 농부에게 주의를 준 말이 생각났읍니다.

"바로 그거다! 무우를 먹으면 나는 죽을 수가 있다!" 그는 이를 갈면서 그렇게 하기로 결심했읍니다.

그날 날이 저물어 일터에서 돌아오는 중에 게으름뱅이에게 기회가 왔읍니다. 농부가 한눈을 파는 사이에 그는 길옆에 자라고 있는 무우 두 개를 얼른 먹어버렸읍니다.

신기하게도 그가 무우를 삼키자마자 그의 황소 머리는 다시 가면으로 바뀌었고, 그의 등에 있던 쇠가죽은 땅바닥으로 떨어졌읍니다. 무우가 그를 죽게 하는 대신에 다시 사람으로 변하게 했읍니다. 그는 황소 가면을 벗어던지고 이제 농부 앞에 똑바로 일어섰읍니다.

농부는 자기의 황소가 사람으로 바뀌는 것을 보고 너무 놀라서 하마터면 뒤로 나자빠질 뻔했읍니다. 게으름뱅이는 그에게 노인을 만났던 이야기와 가면을 써 본 다음에 황소가 된 이야기를 모두 했읍니다. 그리고 농부에게 작별 인사를 하고 집을 향해 떠났읍니다.

On the way back, he looked for the thatched cottage where he had met the old man. It had vanished without a trace. In the place where the cottage had been, the two rolls of hemp cloth were still lying on the ground just as he had left them. The young man took them under his arm and ran down the hill towards his house.

His wife was overjoyed to see him again after such a long time. But he was too embarrassed to tell her that he had become an ox. "And anyway," he thought, "she wouldn't believe me."

집으로 돌아오는 길에, 그는 노인을 만났던 그 초가집을 찾아보았읍니다. 그 초가집은 흔적도 없이 사라졌읍니다. 초가집이 있던 바로 그 자리에는 그가 두고 갔던 두 필의 베가 그대로 놓여 있었읍니다. 젊은이는 베를 끌어 안고 그의 집을 향해 언덕 아래로 뛰어내려갔읍니다.

그의 아내는 오랜만에 그를 다시 만나게 되어 너무 기뻐했읍니다. 그러나 그는 자기가 황소가 되었었다는 이야기를 아내에게 말하기가 무척 힘들었읍니다. "어쨌든, 아내는 내 말을 믿지 않을거야," 하고 그는 생각했읍니다.

From that time on, the young man worked harder than anyone else in the village. His wife was so impressed that she promised not to call him a good-for-nothing ever again. Everyone wondered how he could have changed so suddenly. The villagers didn't call him "Lazybones" any more, but instead nicknamed him "Eager Beaver."

And what is more, the hill behind his house became known as "fox hill," because there was a rumor that an old man who lived there was really a sly fox in disguise.

그때부터 그 젊은이는 마을의 어느 누구보다도 더 열심히 일을 했읍니다. 그의 아내는 너무 감격해서 다시는 그에게 쓸모없는 인간이라 부르지 않겠다고 약속했읍니다. 모든 사람들이 그가 어떻게 해서 그렇게 갑자기 변했는지 이상하게 생각했읍니다. 마을 사람들은 이젠 더이상 그를 '게으름뱅이'라고 부르지 않고, 그 대신에 '부지런한 일꾼'이라고 별명을 지었읍니다.

게다가 그의 집 뒤쪽에 있는 언덕은 '여우고개'라고 불려졌는데, 그것은 거기에 살았던 노인이 사실은 교활한 여우가 둔갑을 했던 거라는 소문이 있었기 때문입니다.

A Word to Parents:

"The Man who became an Ox" tells the story of a lazy young man who becomes an ox and learns that human burdens are comparatively light.

This young man, nicknamed "Lazybones," enjoys loafing around all day while his fellow villagers toil in the fields. Eventually he decides to steal away from home to escape the criticisms of his overworked wife.

One morning he sneaks out of the house with the family's most treasured possessions. Before long he stumbles across a cottage he has never seen before, the home of a mysterious old man. The old man is making a mask in the shape of an ox's head which he assures Lazybones will solve the problems of anyone who wears it. Lazybones puts on the mask and finds himself instantly transformed into an ox. To make matters worse, the mask refuses to come off again. The old man promptly ties a rope around his neck and takes him to market. He has become a fine-looking ox, and in no time at all he is sold to an eager farmer. Before the farmer leaves with his purchase, however, the old man warns him not to feed the ox radishes as they will surely kill him.

The following day Lazybones' ordeal begins. From dawn to dusk he is forced to carry crushing loads and drag a heavy plough up and down the fields. At night his only comfort is a cold stall and a pile of smelly fodder.

Lazybones longs to be human and see his family and friends again. He is filled with remorse when he thinks of all the precious time he wasted as a human. Soon he can bear it no longer. Remembering the old man's warning to the farmer, he swallows a radish and bids farewell to his cruel existence. Unexpectedly, he is suddenly transformed into his old self. Returning to his village and family, he determines never to idle away his time again.

By Mark C. K. Setton

Mark C. K. Setton

Mark C.K. Setton was born in 1952 in Buckinghamshire, England. He graduated from Sungkyunkwan University in 1983 and is presently completing his graduate studies in Oriental Philosophy at the same institution. He has spent the last 10 years in Japan and Korea translating and interpreting for various organizations including UNESCO and the Professors' World Peace Academy of Korea. During that time he has also contributed to various periodicals and newspapers on topics ranging from intercultural exchange to Confucian thought.

Korean Folk Tales Series

1. Two Kins' Pumpkins(흥부 놀부)
2. A Father's Pride and Joy(심청전)
3. Kongjui and Patjui(콩쥐 팥쥐)
4. Harelip(토끼전)
5. The Magpie Bridge(견우 직녀)
6. All for the Family Name(장화 홍련)
7. The People's Fight(홍길동전)
8. The Woodcutter and the Fairy(선녀와 나무꾼)
9. The Tiger and the Persimmon(호랑이와 곶감)
10. The Sun and the Moon(햇님 달님)
11. The Goblins and the Golden Clubs(도깨비 방망이)
12. The Man Who Became an Ox(소가 된 젊은이)
13. Tree Boy(나무도령)
14. The Spring of Youth / Three-Year Hill
    (젊어지는 샘물/3년 고개)
15. The Grateful Tiger / The Frog Who Wouldn't Listen
    (은혜 갚은 호랑이/청개구리의 울음)
16. The Golden Axe / Two Grateful Magpies
    (금도끼 은도끼/은혜 갚은 까치)
17. The Story of Kim Son-dal(봉이 김선달)
18. Osong and Hanum(오성과 한음)
19. Admiral Yi Sun-shin(이순신 장군)
20. King Sejong(세종대왕)